미지가 공을 잡으려다
넘어졌어요.

"팔이랑 무릎에 멍이 들었어. 어떻게 하지?"

파스

글 김미혜 그림 차선희

선생님과 학부모님께

이 그림책은 초기 문해력 교육을 위한 수준 평정 그림책입니다.
아이의 읽기 행동을 관찰하고 기록한 결과를 바탕으로 아이의 눈높이에 맞는
책을 골라 주세요. 아이 스스로 책을 선택할 수 있게 해 주시면 더 좋아요.
그리고 가정과 학교에서 아이와 함께 안내된 읽기를 해 주세요.
이 책에는 한글의 열세 번째 자음 'ㅍ'이 들어간 '파스', '팔', '무릎' 등의 낱말이 나옵니다.
'ㅍ'의 소리를 잘 듣고 'ㅍ'이 들어 있는 낱말을 더 찾아보세요. 받침의 'ㅍ'은
연음에 유의하여 읽도록 해 주세요. 책을 읽고 난 후에는 놀이터나 공원에서
친구들과 놀다가 넘어져서 다쳤던 경험이 있는지, 그럴 때는 어떻게 해야 하는지
아이와 이야기를 나눠 보세요. 약에 대해서 이야기를 나누거나 놀이 안전에 대해서
더 알아봐도 좋습니다.

"내가 집에 가서 약 가져올게."

우주와 마루가
집으로 달려가요.

약상자에서 파스를 꺼내요.

미지가 팔과 무릎에 파스를
붙이고, 우주에게 말해요.
"고마워."

"얼른 나았으면 좋겠다."
"그래도 재미있었어.
이제 집에 가자."

어느새 해가 지고 있어요.

이 책은 _____ 의 것입니다.

파스

ⓒ 김미혜, 차선희, 2025

2025년 11월 3일 처음 펴냄

글쓴이 김미혜 | **그린이** 차선희 | **편집** 이진주 | **디자인** 더디앤씨 | **인쇄** 보명C&I | **제작** 세종PNP
펴낸이 김기언 | **펴낸곳** 교육공동체 벗 | **이사장** 오정오 | **사무국** 최승훈, 설원민, 공현
출판등록 제2011-000022호(2011년 1월 14일) | **주소** (03998) 서울시 마포구 월드컵북로7길 76-12 102호
전화 02-332-0712 | **전송** 0505-115-0712 | **홈페이지** communebut.com

ISBN 978-89-218-8 67700
ISBN 978-89-195-2(세트)

파스	BFL	3
	어절 수	42

값 2,300원

사용 연령
6세 이상

ISBN 978-89-6880-218-8
ISBN 978-89-6880-195-2 (세트)